CW01021090

总 策 划：许　琳

总 监 制：静　炜　王君校

监　　制：夏建辉　韩　晖　张彤辉　刘　研

主　　编：吴中伟

编　　者：吴中伟　吴叔平　高顺全　吴金利

修　　订：吴中伟

顾　　问：陶黎铭　陈光磊

Dāngdài Zhōngwén

当代中文
修订版

Contemporary Chinese
Revised Edition

Liànxí Cè

练习册
1
EXERCISE BOOK
Volume One

主　编：吴中伟

编　者：吴中伟　吴叔平

　　　　高顺全　吴金利

翻　译：徐　蔚

　　　　Yvonne L. Walls　Jan W. Walls

译文审校：Jerry Schmidt

华语教学出版社
SINOLINGUA

First Edition 2003

Revised Edition 2014

First Printing 2014

Second Printing 2014

ISBN 978-7-5138-0618-3

Copyright 2014 by Confucius Institute Headquarters (Hanban)

Published by Sinolingua Co., Ltd

24 Baiwanzhuang Road, Beijing 100037, China

Tel: (86)10-68320585, 68997826

Fax: (86)10-68997826, 68326333

http://www.sinolingua.com.cn

E-mail: hyjx@sinolingua.com.cn

Facebook: www.facebook.com/sinolingua

Printed by Beijing Jinghua Hucais Printing Co., Ltd

Printed in the People's Republic of China

Mùlù

目录

Contents

Unit 6

Unit 7

Unit 8

Unit 0

Yùmén
入门
Preparation

0.1

Listen and repeat:

ā á ǎ à   ō ó ǒ ò   ē é ě è

ā ǎ   ē ě   ō ǒ

á à   é è   ó ò

ā à   ē è   ō ò

nā	ná	nǎ	nà	liū	liú	liǔ	liù
biē	bié	biě	biè	dāo	dáo	dǎo	dào
pāi	pái	pǎi	pài	tōu	tóu	tǒu	tòu
gē	gé	gě	gè	kuī	kuí	kuǐ	kuì
fēi	féi	fěi	fèi	mēng	méng	měng	mèng
jiāo	jiáo	jiǎo	jiào	qiān	qián	qiǎn	qiàn
huō	huó	huǒ	huò	xī	xí	xǐ	xì
zhū	zhú	zhǔ	zhù	chōng	chóng	chǒng	chòng
qū	qú	qǔ	qù	shī	shí	shǐ	shì
zuō	zuó	zuǒ	zuò				

0.2

 I. Sound discrimination:

1. Indicate which one you hear:

    (1) A. pō   B. bō   [   ]

    (2) A. dē   B. tē   [   ]

    (3) A. ó   B. é   [   ]

    (4) A. bō   B. dé   [   ]

    (5) A. yí   B. yú   [   ]

    (6) A. lì   B. lǜ   [   ]

    (7) A. yǔ   B. wǔ   [   ]

    (8) A. mō   B. mó   [   ]

    (9) A. nà   B. ná   [   ]

    (10) A. bǐ   B. bí   [   ]

    (11) A. tā   B. tà   [   ]

    (12) A. pì   B. pí   [   ]

2. Fill in the blanks with the initials you hear:

    (1) _t_ à   (2) _n_ à   (3) _m_ ō   (4) _b_ ō

    (5) _f_ ǎ   (6) _l_ ā   ?(7) _zh_ ǔ g   (8) _zh_ ú

    (9) _k_ á   (10) _s_ ā   (11) _l_ ì   (12) _b_ ǐ

    (13) _ch_ ē   (14) _g_ ē   (15) _p_ ó

3. Fill in the blanks with the finals you hear:

    (1) m ____   (2) m ____   (3) n ____   (4) n ____

    (5) l ____   (6) l ____   (7) f ____   (8) f ____

(9) t _____   (10) t _____

4. Mark the tones you hear:

(1) ta   (2) ta   (3) ta   (4) ta

(5) da   (6) da   (7) da   (8) da

(9) yi   (10) yi   (11) bi   (12) bi

(13) wu   (14) wu   (15) di   (16) di

(17) yu   (18) yu   (19) ma   (20) ma

(21) na   (22) na

5. Listen and write down the syllables you hear:

(1) _____   (2) _____   (3) _____

(4) _____   (5) _____   (6) _____

(7) _____   (8) _____   (9) _____

II. Listen and repeat:

ā	á	ǎ	à
ō	ó	ǒ	ò
ē	é	ě	è
yī	yí	yǐ	yì
wū	wú	wǔ	wù
yū	yú	yǔ	yù
bō	bó	pǒ	pó
bǔ	bù	pǔ	pù
mō	mò	fō	fó
dā	dà	tē	té
dī	dì	tī	tí
nǔ	nǔ	lù	lù

III. Listen and repeat:

é	goose	è	hungry
wǔ	five	wù	fog
pá	to climb	pà	be afraid of
bà	father	bā	eight
dǎ	to strike, to hit	dà	big
tā	he, she, it	tǎ	pagoda
mā	mother	mǎ	horse
ná	to take, to carry	nà	that
bǐ	than	pí	skin, leather
mǐ	rice	nǐ	you
nǔ	woman	lǜ	green
lù	road	bù	no, not

IV. Listen and repeat:

yúfū	fisher	fùyù	rich		
dì-yī	the first	dìyù	hell	tǐyù	sports
dà yǔ	heavy rain	dà yú	big fish		
dàyī	overcoat	dàyì	careless		
yílǜ	without exception	yìlì	willpower	lìyì	benefit
dìtú	map	túdì	apprentice	tǔdì	land
fǎlǜ	law	fǎlì	supernatural power		
lǐ fà	have one's hair cut	lìfǎ	to legislate		
pífū	skin	bǐyù	metaphor		

0.3

 I. Sound discrimination:

1. **Indicate which one you hear:**

   (1) A. gǔ   B. kǔ   [   ]

   (2) A. gān   B. gēn   [   ]

   (3) A. kǎo   B. kǒu   [   ]

   (4) A. dǎi   B. děi   [   ]

   (5) A. tán   B. táng   [   ]

   (6) A. lóng   B. léng   [   ]

   (7) A. kǎo   B. kào   [   ]

   (8) A. gān   B. gàn   [   ]

   (9) A. hǎo   B. hào   [   ]

   (10) A. máng   B. màng   [   ]

   (11) A. tāi   B. tài   [   ]

   (12) A. dǒng   B. dòng   [   ]

2. **Fill in the blanks with the initials you hear:**

   (1) _____ āi   (2) _____ āi   (3) _____ ǎo   (4) _____ ǎo

   (5) _____ ěn   (6) _____ ēn   (7) _____ áng   (8) _____ áng

3. **Fill in the blanks with the finals you hear:**

   (1) b _____   (2) b _____   (3) p _____   (4) p _____

   (5) m _____   (6) m _____   (7) t _____   (8) t _____

   (9) t _____   (10) k _____   (11) k _____   (12) k _____

(13) k _____   (14) k _____   (15) h _____   (16) h _____

(17) h _____   (18) h _____

4. Mark the tones you hear:

(1) gao   (2) gao   (3) gao   (4) gao   (5) kafei

(6) bangmang   (7) gaokao   (8) kanwu   (9) laodong   (10) tengtong

(11) nenggou   (12) fennu   (13) daode   (14) paodan   (15) dafeng

(16) tanlan   (17) botao   (18) hanleng

5. Listen and write down the syllables you hear:

(1) _____   (2) _____   (3) _____

(4) _____   (5) _____   (6) _____

(7) _____   (8) _____   (9) _____

6. Listen and mark the syllables you hear in the neutral tone:

(1) gege   (2) keyi   (3) boli   (4) dangan

(5) yikao   (6) yifu   (7) houlong

II. Listen and repeat:

āi	ēi	āo	ōu
ān	ēn	āng	ēng
bái	bèi	bàn	bāng
páo	pǒu	pén	pēng
mài	méi	fēi	fǒu
dàn	dāng	tóu	tòng
nǎi	néng	lǎo	lóng
gǔ	kǔ	hǔ	

III. Listen and repeat:

bàba	father	māma	mother
nǎinai	grandma	gēge	elder brother
mèimei	younger sister	tāmen	they
nǐ de	your	dòufu	tofu
nǎodai	head		

IV. Listen and repeat:

ài	to love	ǎi	(of height) short				
gàn	to do	gān	dry	gǎn	to dare		
gǒu	dog	gòu	enough	gōu	ditch		
hěn	very	hèn	to hate				
tāng	soup	táng	sugar	tǎng	to lie (down)	tàng	hot
fēi	to fly	fēn	cent, minute	fēng	wind		
gǎi	to change	gěi	to give				
kāi	to open	hái	still				
néng	can	lěng	cold				
lóng	dragon	láng	wolf				
bái	white	bān	class				
lái	to come	lán	blue				
nán	male	mǎn	full				
màn	slow	máng	busy				
hóng	red						
gāo	high, tall						
hēi	black						

V. Listen and repeat:

kān mén	guard the door	kāi mén	open the door
hēibǎn	blackboard	hěn bái	very white
lǎohǔ	tiger	láodòng	work, labor
gǔdài	ancient	kǔhǎi	sea of bitterness
dédào	to get	dàodé	morality
táopǎo	run away	bàodào	report for duty; check in
Běiměi	North America	měilì	beautiful
bāngmáng	lend a hand	bèndàn	fool
tóuténg	headache	ménkǒu	doorway
Hànyǔ	Chinese language		

VI. Listen and repeat:

(1) Nǐ hǎo!

you fine

Hello!

(2) Nǐ děi kāikǒu.

you have to open mouth

you have to say something.

(3) Dùzi bǎo le.

stomach full

I'm full.

(4) Tùzi pǎo le.

hare run

The hare ran away.

(5) Nǐ néng fēi ma?

you can fly *question particle*

Can you fly?

(6) Tā ài tā de gǒu.

he love his dog

He loves his dog.

(7) Tā bǐ nǐ gāo, nǐ bǐ tā ǎi.

he than you tall you than him short

He is taller than you. You are shorter than him.

(8) Nǐ hěn máng, tā bù máng.

you very busy he not busy

You are busy while he is not.

(9) Gěi nǐ gāngbǐ, gěi tā máobǐ.

give you pen give him Chinese brush

I give you a pen and give him a Chinese brush.

(10) Tā mǎile yì bǎ dà dāo hé yì gēn hóng pídài.

he buy a big knife and a red leather belt

He bought a big knife and a red leather belt.

0.4

 I. Sound discrimination:

1. Indicate which one you hear:

(1) A. jiā   B. qiā   [   ]

(2) A. jiǒng   B. qióng   [   ]

(3) A. gāo   B. jiào   [   ]

(4) A. kàn   B. quán   [   ]

(5) A. hǎo   B. xiǎo   [   ]

(6) A. qiú   B. qú   [   ]

(7) A. jiǔ   B. jǔ   [   ]

(8) A. xiān   B. xuān   [   ]

(9) A. qīn   B. qūn   [   ]

(10) A. jiě   B. jué   [   ]

(11) A. jiā   B. jiǎ   [   ]

(12) A. xué   B. xuě   [   ]

(13) A. jiàng   B. jiǎng   [   ]

(14) A. xiào   B. xiǎo   [   ]

2. Fill in the blanks with the initials you hear:

(1) ____ iē   (2) ____ iě   (3) ____ ián   (4) ____ iàn

(5) ____ íng   (6) ____ ǐng   (7) ____ īng   (8) ____ iā ____ íng

(9) ____ ué ____ iào   (10) ____ iān ____ iáng

3. Fill in the blanks with the finals you hear:

(1) b_____   (2) p_____   (3) d_____   (4) n_____

(5) l_____   (6) x_____   (7) x_____   (8) q_____

(9) j_____   (10) l____j____   (11) b____j____   (12) x____d____

(13) j____j____   (14) j____l____   (15) q____x____   (16) q____l____

4. Mark the tones you hear:

(1) jiqi   (2) jiujing   (3) jianbing   (4) pinqiong

(5) mingliang   (6) lingdang   (7) qianmian   (8) mianbao

(9) qifen   (10) xiawu

5. Listen and write down the syllables you hear:

(1) _____   (2) _____   (3) _____   (4) _____

(5) _____   (6) _____   (7) _____   (8) _____

(9) _____   (10) _____   (11) _____   (12) _____

(13) _____   (14) _____   (15) _____   (16) _____

(17) _____   (18) _____

II. Listen and repeat:

jiē	diē	qiē	tiē		
xī	xiē	xiān	xiāng		
yú	yuè	yuán			
jù	jiǔ	qù	qiú	xǔ	xiū
lán	liàn	láng	liàng		
máo	miáo	pào	piào		
xìn	xíng	xiàng	xióng		

III. Listen and repeat:

yāo	waist	yáo	to shake	yào	to want
yóu	oil	yǒu	to have	yòu	again
jiā	home	jiǎ	fake	jià	holiday
xīng	star	xǐng	wake up	xíng	OK
xiǎng	to think	xiàng	toward	xiāng	fragrant
yě	also	yè	night		
yān	smoke	yán	salt		
qiāo	to knock	qiáo	bridge		
xiǎo	small	xiào	to smile, to laugh		
xiān	first	xián	salty		
tīng	to listen	tíng	to stop		
nián	year	niàn	read aloud		
nǎo	brain	niǎo	bird		
nán	male	nián	year		
niú	cow	nǚ	female		
qiē	to cut	quē	lack		
xiě	to write	xué	to learn, to study		
qiú	ball	jiǔ	alcoholic drink		
xióng	bear	qióng	poor, poverty-stricken		
yòng	to use	yún	cloud		

IV. Listen and repeat the following syllables, paying attention to the 3ʳᵈ tone sandhi:

kǒuyǔ	spoken language	yǒnggǎn	brave
měinǚ	beauty	xiǎo niǎo	little bird
lǎojiā	hometown	kǎoyā	roast duck
diǎnxin	refreshments	jiǎngjīn	bonus

jiějué	to solve	yǔyán	language
bǎohù	to protect	fǎlù	law
kě'ài	lovely, cute	kěndìng	sure

V. Listen and repeat:

yóuyǒng	to swim	yǒuyòng	useful
jīqì	machine	qíjì	miracle, wonder
xūyào	need	xīyào	Western medicine
juédìng	to decide; decision	quèdìng	definite
quēdiǎn	shortcoming	quántiān	whole day
xuéxí	to learn, to study	xiūxi	rest
qīnwěn	to kiss	qǐngwèn	May I ask…?
jiéyuē	to save (money, etc.)		
yuánliàng	to forgive		
xuǎnjǔ	to elect; election	xiàtiān	summer
jīntiān	today	míngtiān	tomorrow
qiūtiān	autumn	dōngtiān	winter
qùnián	last year	jīnnián	this year
míngnián	next year	xīnxiān	fresh
Měiguó	U.S.A.	Jiānádà	Canada
Yīngguó	U.K.	Àodàlìyà	Australia
xúnxù-jiànjìn	follow in order and advance step by step		
lóngténg-hǔyuè	dragons rising and tigers leaping — scene of hustling and bustling activity		

VI. Listen and repeat:

(1) Nín hǎo!

you   fine

Hello.

(2) Xièxie!   Bú kèqi.

Thank you.   You are welcome.

(3) Pīnyīn bù nán xué.

pinyin   not   difficult   learn

Pinyin is not difficult to learn.

(4) Qǐng nǐ bié xiāngxìn tā.

please   you   don't   believe   him

Don't believe him, please.

(5) Tāmen bān li yǒu wǔ tái diànnǎo.

they   class in   have   five   computer

There are five computers in their class.

(6) Fángjiān li bù kěyǐ xīyān.

room   in   not   can   smoke

No smoking is allowed in the room.

(7) Nǐmen yào nǔlì xuéxí.

you   should   hard   study

You should study hard.

(8) Xīngqītiān dàjiā yìqǐ qù kàn diànyǐng.

Sunday   everyone   together   go   see   movie

We will go to the movies together this Sunday.

(9) Jīntiān xiàwǔ qù gōngyuán, nǐ qù bu qù?

today   afternoon   go   park   you   go   not   go

We will go to the park this afternoon, will you go (with us)?

(10) Xuǎnmín dōu hěn niánqīng.

voter   all   very   young

All the voters are very young.

(11) Tā nǚpéngyou hěn piàoliang.

he   girlfriend   very   beautiful

His girlfriend is very beautiful.

0.5

 I. Sound discrimination:

1. Indicate which one you hear:

(1)	A. zì	B. cí	[	]
(2)	A. cū	B. zú	[	]
(3)	A. zì	B. jǐ	[	]
(4)	A. cí	B. qì	[	]
(5)	A. zūn	B. jūn	[	]
(6)	A. cuān	B. quán	[	]
(7)	A. cán	B. tán	[	]
(8)	A. sǎo	B. xiǎo	[	]
(9)	A. cǎo	B. qiáo	[	]
(10)	A. zǒu	B. zuò	[	]
(11)	A. gān	B. guǎn	[	]
(12)	A. kěn	B. kǔn	[	]
(13)	A. kēi	B. kuī	[	]
(14)	A. cuò	B. cuō	[	]
(15)	A. wén	B. wèn	[	]
(16)	A. zuǐ	B. zuì	[	]
(17)	A. cí	B. cì	[	]

2. Fill in the blanks with the initials you hear:

(1) _____ ā   (2) _____ iā   (3) _____ ān   (4) _____ ián

(5) _____ ǎo   (6) _____ iǎo   (7) _____ ì _____ í   (8) _____ ì _____ ī

(9) _____ í _____ ì   (10) _____ ī _____ ì   (11) _____ íng _____ í   (12) _____ íng _____ ì

3. Fill in the blanks with the finals you hear:

(1) k _____   (2) k _____   (3) k _____   (4) k _____

(5) k _____   (6) h _____   (7) h _____   (8) h _____

(9) h _____   (10) g _____   (11) g _____   (12) d _____

(13) d _____   (14) t _____   (15) t _____   (16) g _____ z _____

(17) c _____ c _____   (18) z _____ s _____   (19) c _____ g _____   (20) t _____ k _____

(21) h _____ l _____

4. Mark the tones you hear:

(1) kuajiang   (2) kuanguang   (3) tuola   (4) zuoye

(5) jisuan   (6) kuaisu   (7) nuanhuo   (8) cuican

(9) weida   (10) guojia   (11) huida   (12) wandan

5. Listen and write down the syllables you hear:

(1) _____   (2) _____   (3) _____   (4) _____

(5) _____   (6) _____   (7) _____   (8) _____

(9) _____

II. Listen and repeat:

wā	wō	wài	wèi	wǎn	wěn
dū	dōu	duō	tú	tóu	tuó
gù	guà	guài	guān	guāng	
hù	huà	huài	huán	huáng	
zī	zū	cì	cù	sì	sù

zài   cài   sài

zǎn   zāng   zěn

cān   cáng   cēn

zī   jǐ   cī   qī   sī   xī

zǎn   jiǎn

III. Listen and repeat the following syllables, paying attention to the difference between u and ü:

dùn   jūn   tún   qún   zǔ   jù   cù   qú

xuǎn   suàn   kuān   quán   zuān   juān

IV. Listen and repeat:

cāi	to guess	cái	only	cài	dish
tuǐ	leg	tuī	to push	tuì	to retreat
suān	sour	suàn	to calculate		
zuǐ	mouth	zuì	the most		
sān	three	sǎn	umbrella		
guā	melon	guà	to hang		
dōu	all	duō	many		
guài	strange	kuài	fast		
zuò	to do	zǒu	to go, to walk		
guó	country	gǒu	dog		

V. Listen and repeat the following syllables, paying attention to the 3rd tone sandhi:

gǔdiǎn	classic	yǔfǎ	grammar		
wǔdǎo	dancing	yǒuhǎo	friendly		
liǎojiě	to comprehend	yǒnggǎn	brave		
yǔyī	raincoat	Běijīng	Beijing	yǐjīng	to have (done sth.)
Měiguó	U.S.A.	Fǎguó	France		
hěn nán	very difficult				
bǐsài	competition	měilì	beautiful		
jiǎnyàn	to test	cǎodì	meadow		

VI. Listen and repeat:

jīdàn	egg	zǐdàn	bullet		
jìsuàn	to calculate	zìxuǎn	choose by oneself		
bízi	nose	bǐjì	note		
zìjǐ	oneself	cíqì	porcelain, china	sījǐ	driver
cānguān	to visit; look around	tānguān	corrupt official		
qǐzǎo	get up early	tǐcāo	gymnastics		
cōngming	clever				
sēnlín	forest				

VII. Listen and repeat:

(1) Huānyíng!

Welcome!

(2) Duìbuqǐ.　　Méi guānxi.

Sorry!　　　It doesn't matter.

(3) Zàijiàn!

Goodbye!

(4) Tā yǐjīng sǐ le.

he   already   die

He has died./He has been dead.

(5) Tā bù xiǎng huó le.

he   not   want   live

He doesn't want to stay alive.

(6) Hànzì   zěnme xiě?

Chinese character   how to   write

How do you write in Chinese characters?

(7) Wǒ xǐhuan tǐcāo.

I   like   gymnastics

I like gymnastics.

(8) Nǐ kàn, cāntīng   zài nàli.

you look   dining room   be   there

Look! The dining room is over there.

(9) Yǐzi tài zāng, bù néng zuò.

chair too dirty   not can   sit

The chair is too dirty to sit on.

(10) Tā de sūnzi   hěn cōngming.

his   grandson   very   clever

His grandson is very clever.

(11) Kōngtiáo huài le, nǐ huì xiū ma?

air-conditioner broken   you can   repair *question particle*

The air-conditioner doesn't work. Can you repair it?

(12) Dàjiā yǐ zuì kuài de sùdù zuò bǐjì.

everyone with most fast   speed   make notes

Everyone made notes as quickly as possible.

(13) Zài bǐsài yí cì dehuà, jiéguǒ huì zěnmeyàng? Nǐ cāicai.

again match once if   result   may how about   you guess

What will be the result if we have a match with them again? Just guess.

(1)   Wángpó mài guā, zì mài zì kuā.

        Old lady Wang is boasting about the gourds she sells.

(2)   Máquè suī xiǎo, wǔzàng jù quán.

        The sparrow may be small but it has all its vital organs.

(3)   Yǒu péng zì yuǎnfāng lái, bú yì lè hū?

        Aren't you happy if there is a friend who comes from afar?

0.6

 I. Sound discrimination:

1. Indicate which one you hear:

(1) A. zhǐ   B. chí   [   ]

(2) A. zhì   B. zì   [   ]

(3) A. chí   B. cí   [   ]

(4) A. zhī   B. jǐ   [   ]

(5) A. chì   B. qì   [   ]

(6) A. shí   B. xí   [   ]

(7) A. rì   B. rè   [   ]

(8) A. chuān   B. quān   [   ]

(9) A. shào   B. xiào   [   ]

(10) A. shā   B. shān   C. shāng   [   ]

(11) A. chán   B. chuán   C. chuáng   [   ]

(12) A. chī   B. chē   C. chū   [   ]

(13) A. piāo   B. piǎo   C. piào   [   ]

(14) A. zhāng   B. zhǎng   C. zhàng   [   ]

(15) A. chōng   B. chóng   C. chòng   [   ]

(16) A. chū   B. chú   C. chù   [   ]

(17) A. cí   B. cǐ   C. cì   [   ]

2. Fill in the blanks with the initials you hear:

(1) ____ ī   (2) ____ ī   (3) ____ ì   (4) ____ ì

(5) ____ í   (6) ____ í   (7) ____ í   (8) ____ ǐ

(9) ___ ì   (10) ___ ǐ ___ ǒu   (11) ___ ūn ___ uāng   (12) ___ án ___ āo

(13) ___ āng ___ èng

3. Mark the tones you hear:

(1) shici   (2) turan   (3) caice   (4) zaoyu   (5) congrong (6) renming

(7) ruguo   (8) shuxi   (9) re'ai   (10) suanshu (11) chize   (12) shishi

(13) zhunbei (14) shuiwen (15) chuli (16) shencha

4. Listen and write down the syllables you hear:

(1) _____   (2) _____   (3) _____   (4) _____

(5) _____   (6) _____   (7) _____   (8) _____

(9) _____   (10) _____

II. Listen and repeat:

zhī   chī   shī   jī   qī   xī   zī   cī   sī

zhā   zā   jiā

chā   cā   qiā

chuán   cuàn   quān

shāo   sǎo   xiào

rè   rì   lì

III. Listen and repeat the following syllables, paying attention to r-retroflexion:

huār   flower   niǎor   bird

wánr   to play   zhèr   here

nàr   there   nǎr   where

IV. Listen and repeat:

shū	book	shǔ	to count	shù	tree
zhù	to live, to stay	zhū	pig		
chuān	to wear	chuán	boat		
chuáng	bed	chuāng	window		
shuǐ	water	shuí	who		
chūn	spring	chǔn	stupid		
shuō	to say	shōu	to receive		
shān	hill	sān	three		
zhǎo	look for	zǎo	early		
èr	two				

V. Listen and repeat:

zhīdao	to know	chídào	be late	qǐdǎo	to pray
rúguǒ	if	lùguò	pass by		
shǎoshù	minority	xiǎoshù	small tree		
qìchē	car	qíchē	ride a bicycle		
shísì	fourteen	sìshí	forty		
róuruǎn	soft	tūrán	suddenly		
shāmò	desert	shénme	what		
shàngwǔ	morning	xiàwǔ	afternoon		
shuǐjiǎo	dumpling	shuìjiào	to sleep		
róngyì	easy	rènyì	wantonly; at will		
érzi	son	ěrduo	ear		
cèsuǒ	toilet	chùsuǒ	location, place		

Zhōngguó	China
shíshì-qiúshì	seek truth from facts; be practical and realistic
rénshān-rénhǎi	oceans of people
qīzuǐ-bāshé	all talking at once
shānqīng-shuǐxiù	green hills and clear waters
kāi yèchē	work late into the night
yǎo ěrduo	whisper in sb.'s ear
pāi mǎpì	lick sb.'s boots; to flatter

 VI. Listen and repeat:

(1) Zhè shì shénme?

this be what
What's this?

(2) Nǐ jiào shénme míngzi?

you call what name
What's your name?

(3) Xǐshǒujiān zài nǎr?

washroom be where
Where is the washroom?

(4) Wǒmen qí zìxíngchē qù.

we ride bike go
We will go there by bike.

(5) Tāmen yìqǐ chīle qī zhī jī.

they together eat seven chicken
They ate seven chickens together.

(6) Nǐ yào chī jī ròu háishi zhū ròu?

you want eat chicken meat or pig meat
Do you want to have chicken or pork?

VII. Listen and read the following sayings:

(1)   Bǎi wén bùrú yí jiàn.

Seeing is believing.

(2)   Shībài shì chénggōng zhī mǔ.

Failure is the mother of success.

(3)   Cùn yǒu suǒ cháng, chǐ yǒu suǒ duǎn.

A foot may be too short in one case while an inch may be long enough in another. (Every person has his weak points as well as strong points.)

0.7

 I. Sound discrimination:

1. Indicate which one you hear:

(1) A. zhǎo   B. zǎo   C. jiào   D. qiáo   [   ]

(2) A. gān   B. kàn   C. jiàn   D. quán   [   ]

(3) A. fú   B. hǔ   C. xū   D. sù   [   ]

(4) A. pǎo   B. pèi   C. pái   D. pǒu   [   ]

(5) A. māo   B. miáo   C. miù   D. miàn   [   ]

(6) A. zhōu   B. zhuō   C. zhū   D. zhāo   [   ]

(7) A. yú   B. wǔ   C. yún   D. wěn   [   ]

(8) A. xuǎn   B. xiān   C. xún   D. xìn   [   ]

(9) A. láng   B. lěng   C. lóng   D. lǐng   [   ]

(10) A. diē   B. diū   C. diàn   D. diào   [   ]

(11) A. juān   B. juán   C. juàn   D. juǎn   [   ]

(12) A. hóng   B. hǒng   C. hòng   D. hōng   [   ]

(13) A. chuǎng   B. chuāng   C. chuàng   D. chuáng   [   ]

(14) A. nào   B. nǎo   C. náo   D. nāo   [   ]

(15) A. huān   B. huán   C. huàn   D. huǎn   [   ]

2. Fill in the blanks with the initials you hear:

(1) ____ ǎ   (2) ____ á   (3) ____ é   (4) ____ è

(5) ____ ēn   (6) ____ èn   (7) ____ àn   (8) ____ án

(9) ____ án   (10) ____ án   (11) ____ āo   (12) ____ ào

(13) ____ iǔ	(14) ____ ǔ	(15) ____ ū	(16) ____ iú

(17) ____ ū	(18) ____ ū	(19) ____ iù	(20) ____ ǔ

3. Fill in the blanks with the finals you hear:

(1) p___	(2) p___	(3) p___	(4) p___

(5) p___	(6) g___	(7) g___	(8) g___

(9) g___	(10) t___	(11) t___	(12) t___

(13) j___	(14) j___	(15) j___	(16) j___

(17) j___	(18) j___	(19) j___	(20) j___

(21) j___	(22) j___	(23) j___	(24) j___

(25) j___	(26) h___	(27) h___	(28) h___

(29) h___	(30) h___	(31) h___	(32) h___

4. Mark the tones you hear:

(1) chuntian	(2) anquan	(3) gaokao	(4) chengzan

(5) shuxi	(6) shixi	(7) tuanti	(8) huangdi

(9) chansheng	(10) zongcai	(11) yongyuan	(12) kending

(13) riguang	(14) wenti	(15) duiwu	(16) jisuan

(17) piaoliang	(18) zhuozi

5. Write down the syllables you hear:

(1) _____	(2) _____	(3) _____	(4) _____

(5) _____	(6) _____	(7) _____	(8) _____

(9) _____	(10) _____	(11) _____	(12) _____

(13) _____	(14) _____	(15) _____

6. Write down the sentences you hear:

(1) _____

(2) _____

(3) _____

(4) _____

(5) _____

(6) _____

 II. Listen and repeat:

fàndiàn	hotel, restaurant	fángjiān	room
Hànyǔ	Chinese language	gōngzuò	work, job
yuēhuì	apointment	duōshao	how many
jiàoshì	classroom	quánbù	all
nǎr	where	wǒmen	we
shǒubiǎo	waist watch	hǎiguān	customs
zìxíngchē	bicycle	Àolínpǐkè	the Olympics

III. Listen and repeat:

fànguǎnr

bīnguǎn

jīchǎng

chūzū qìchē

cèsuǒ

gōng'ānjú

 IV. Listen and repeat:

(1) Hǎo!   Good

(2) Bù hǎo!   Not good!

(3) Hěn hǎo!   Very good!

(4) Wǒ xuéxí Hànyǔ.

I   study   Chinese

I study Chinese.

(5) Qǐng bāngzhù wǒ yíxià.

please   help   I   a bit

Lend me a hand please.

(6) Wǒ tīng-bu-dǒng.

I   listen not understand

I don't understand.

(7) Qǐng zài shuō yí biàn.

please   again say   once

Say it again please.

V. Listen and repeat:

(1) Nǐ hǎo!   Hello! / How are you? / How do you do?

Nǐ hǎo!　　Hello! / How are you? / How do you do?

(2) Nǐ zǎo!　　Good morning!

　　Nǐ zǎo!　　Good morning!

(3) Zàijiàn!　　Goodbye!

　　Zàijiàn!　　Goodbye!

(4) Xièxie!　　Thank you!

　　Bú kèqi!　　You are welcome.

(5) Duìbuqǐ!　　Sorry!

　　Méi guānxi.　　It doesn't matter.

(6) Jiàndào nǐ wǒ hěn gāoxìng!　　Glad to meet you!

　　Wǒ yě hěn gāoxìng!　　Me too!

 VI. Read the following two poems:

春　晓
Chūn Xiǎo

〔唐〕　孟　浩然

〔Táng〕Mèng Hàorán

春　眠 不 觉 晓,

Chūn mián bù jué xiǎo,

Spring sleep, without knowing, morning arrives.

处 处 闻 啼 鸟。

chù chù wén tí niǎo。

Everywhere, bird songs are heard.

夜 来 风 雨 声,

Yè lái fēng yǔ shēng,

Wind and rain sounds came through the night, and

花 落 知 多　少。

huā luò zhī duō shǎo。

Who knows how many blossoms fell?

下 江 陵
Xià Jiānglíng

[唐] 李白

[Táng] Lǐ Bái

朝 辞 白 帝 彩 云 间，

Zhāo cí Báidì cǎi yún jiān,

Among the beautiful clouds, I leave Baidi in the morning,

千 里 江 陵 一 日 还。

qiān lǐ Jiānglíng yí rì huán.

And return to far away Jiangling in the same day.

两 岸 猿 声 啼 不 住，

Liǎng àn yuán shēng tí bú zhù,

Continuously, the apes on both shores cry,

轻 舟 已 过 万 重 山。

qīng zhōu yǐ guò wàn chóng shān.

And the light boat swiftly passes by thousands of hills.

VII. Read the following tongue twisters (ràokǒulìng):

(A)

妈妈 骑马，马 慢，妈妈 骂马。

Māma qí mǎ, mǎ màn, māma mà mǎ.

Mother rides a horse; the horse is slow; mother scolds the horse.

(B)

四是四，十是十；

Sì shì sì, shí shì shí;

Four is four, ten is ten.

十四是十四，四十是四十。

shísì shì shísì, sìshí shì sìshí.

Fourteen is fourteen, forty is forty.

(C)

老石和老史，
Lǎo Shí hé Lǎo Shǐ,

Old Shi and old Shi,

天天去公司，
tiān tiān qù gōngsī,

Go to (the same) company every day,

一直是同事。
yìzhí shì tóngshì.

Have always been colleagues.

老石老是骗老史，
Lǎo Shí lǎoshi piàn Lǎo Shǐ,

Old Shi is always playing tricks on old Shi.

老史说，
Lǎo Shǐ shuō,

Old Shi says,

老石实在不老实。
Lǎo Shí shízài bù lǎoshi.

Old Shi is truly dishonest.

(D)

一个大嫂子，
Yí gè dà sǎozi,

A woman,

一个大小子，
yí gè dà xiǎozi,

A guy.

大嫂子和大小子
dà sǎozi hé dà xiǎozi

A woman and a guy

比赛包饺子。
bǐsài bāo jiǎozi.

Have a dumpling-making contest.

大嫂子包的饺子
Dà sǎozi bāo de jiǎozi

The dumplings the woman makes

又大又多又好吃。
yòu dà yòu duō yòu hǎochī.

Are big, many and delicious.

大小子包的饺子
Dà xiǎozi bāo de jiǎozi

The dumplings the guy makes

又小又少又难吃。
yòu xiǎo yòu shǎo yòu nánchī.

Are small, few and not delicious.

(E)

一 只 青 蛙 一 张 嘴，
Yì zhī qīngwā yì zhāng zuǐ,

One frog, one mouth,

两 只 眼 睛 四 条 腿，
liǎng zhī yǎnjing sì tiáo tuǐ,

Two eyes and four legs.

扑 通 一 声 跳 下 水。
pūtōng yì shēng tiào xià shuǐ.

Splash! It jumps into the water.

两 只 青 蛙 两 张 嘴，
Liǎng zhī qīngwā liǎng zhāng zuǐ,

Two frogs, two mouths,

四 只 眼 睛 八 条 腿，
sì zhī yǎnjing bā tiáo tuǐ,

Four eyes and eight legs.

扑 通 扑 通 两 声 跳 下 水。
pūtōng pūtōng liǎng shēng tiào xià shuǐ.

Splash! Splash! They jump into the water.

三 只 青 蛙 三 张 嘴，
Sān zhī qīngwā sān zhāng zuǐ,

Three frogs, three mouths,

六 只 眼 睛 十 二 条 腿，
liù zhī yǎnjing shí'èr tiáo tuǐ,

Six eyes, twelve legs.

扑 通 扑 通 扑 通 三 声 跳 下 水。
pūtōng pūtōng pūtōng sān shēng tiào xià shuǐ.

Splash! Splash! Splash! They jump into the water.

 ## VIII. Listen to the recording and read the following dialogues:

Zuótiān xīngqī jǐ?   What day of the week was yesterday?

Jīntiān xīngqī jǐ?   What day of the week is today?

Míngtiān xīngqī jǐ?   What day of the week is tomorrow?

xīngqī yī / xīngqī èr /xīngqī sān / xīngqī sì / xīngqī wǔ / xīngqī liù / xīngqītiān

Monday   Tuesday   Wednesday   Thursday   Friday   Saturday   Sunday

Unit 1

Nǐ Hǎo!
你 好！
Hello!

 I. Read the following words and sentences:

míngzi	namc	míngjì	engrave on one's mind		
guó	country	gǒu	dog		
jiào	to call, to shout	diào	to drop		
dōu	all, both	dú	poison	duō	many

bù hǎo
bù shuō Hànyǔ
bú shì Zhōngguórén
Wǒ bú xìng Wáng.
Wǒ bú jiào Wáng Yīng.

 II. Words and structures:

1. Substitution drills:

(1) A. 你是哪国人？
    B. 我是中国人。

Jiānádà	Měiguó
加拿大	美国
Àodàlìyà	Yīngguó
澳大利亚	英国

(2) A. 她是中国人吗？
    B. 她是中国人。

Jiānádà	Měiguó
加拿大	美国
Àodàlìyà	Yīngguó
澳大利亚	英国

(3) A. 你是不是中国人?
　　B. 我不是中国人。

Jiānádà	Měiguó
加拿大	美国
Àodàlìyà	Yīngguó
澳大利亚	英国

(4) 您说英语还是说法语?

Zhāng	Wáng
姓张 ……	姓王
Zhāng Shān	Jiāng Shān
叫张山……	叫江山

(5) 我是老师,他也是老师,我们都是老师。

Wáng
姓王
说汉语
不是中国人

2. Fill in the blanks with the given words:

是　说　姓　叫

(1) 他_____哪国人?

(2) 我_____马。

(3) 他_____什么名字?

(4) 她不_____汉语。

也　都

(5) 我是加拿大人,他_____是加拿大人,我们_____是加拿大人。

(6) 我不是中国人,他_____不是中国人,我们_____不是中国人。

吗　呢

(7) A: 您说英语_____?

　　B: 我不说英语。您_____?

　　A: 我也不说英语。

3. Turn the following affirmative sentences into negative sentences:

(1) 他是汉语老师。

(2) 他说英语。

(3) 他们都是加拿大人。

4. Arrange the given words in the correct order to form a sentence:

(1) 我　美国　人　是

(2) 她　美国　人　是　也

(3) 他　美国　人　是　不

(4) 你　叫　名字　什么

5. Turn the following statements into 吗 ma questions and X 不 bu X questions:

(1) 他是我同学。

(2) 他说汉语。

(3) 他是张老师。

6. Translate the following sentences into Chinese:

(1) I only speak Chinese.

(2) What's your name?

(3) Are you Chinese?

(4) Do you speak English or French?

(5) My surname is not Wang. My surname is Zhang.

 III. Listening comprehension:

1. What's the surname of the speaker?

2. Does he speak French?

3. What is their nationality?

4. What mistake did the boy make?

5. Is the girl Canadian or Chinese?

6. How many people were speaking? What are their names?

 ## IV. Oral practice:

1. Ask and answer the following questions with your classmates:

    What's your name?

    What's your nationality?

    Do you speak Chinese?

2. Introduce yourself: your name, your nationality, whether you can speak Chinese, your teacher's name.

3. Introduce one of your classmates.

 ## V. Read the following passage and answer the questions:

白小红，女，中国人，说汉语，也说英语。

王　英，女，加拿大华裔，说英语，也说一点儿汉语。

马　丁，男，澳大利亚人，说英语，不说法语。

江　山，男，美国人，只说英语。

张老师，男，汉语老师。

How many people are there? What are their nationalities?

Who speaks Chinese? Who speaks English? Who speaks French?

 ## VI. Fill in the table in *Hanzi*:

姓名　xìngmíng name	性别　xìngbié sex	国籍　guójí nationality

Supplementary words:

华裔	(*n.*)	huáyì	person of Chinese ancestry who is not a Chinese citizen
一点儿	(*m.w.*)	yìdiǎnr	a little
男	(*adj.*)	nán	male
女	(*adj.*)	nǚ	female

Unit 2

Hěn Gāoxìng Rènshi Nín!
很 高兴 认识 您!
Glad to Meet You

Unit
2

 I. Read the following words and phrases:

rènshi	to know	piàoliang	beautiful
péngyou	friend	xǐhuan	to like
shénme	what	míngzi	name
lǎoshī	teacher	pǔtōng	common, ordinary
nǎ guó	which country	Měiguó	U.S.A.
qǐng zuò	Sit down, please.		
qǐng jìn	Come in, please.		

 II. Words and structures:

1. **Substitution drills:**

   (1) 这是我的<u>女朋友</u>。

   > 男朋友　　好朋友
   > 老朋友　　老同学
   > 汉语老师

   (2) A: 你在哪儿学习?

   　　B: 我在<u>英国东方学院</u>学习。

   > Měiguó Huáshèngdùn　　Jiānádà Wòtàihuá
   > 美国　华盛顿　大学　　加拿大 渥太华 大学
   > Àodàlìyà Xīní　　　　　Yīngguó Lúndūn
   > 澳大利亚 悉尼大学　　　英国　　伦敦 大学

(3) A: 我可（以）不可以给你<u>打电话</u>?
    B: 可以。

发电子邮件
写信

(4) A: 东方学院怎么样?
    B: 东方学院<u>很大，也很好</u>。

很大，也很漂亮
不大，也不漂亮

(5) A: 请<u>进</u>!
    B: 好。谢谢!

坐
喝茶

2. **Fill in the blanks with the given words:**

      打　发　喝　喜欢　认识　工作

(1) 我可以给你_____电话吗?

(2) 我可以给你_____电子邮件吗?

(3) 很高兴_____你!

(4) 你在哪儿_____?

(5) 请_____茶。

3. **Arrange the given words in the correct order to form a sentence:**

(1) 我　　进出口公司　　在　　工作

(2) 他　　我们　　老师　　的　　是

(3) 我　　东方学院　　学生　　的　　是

(4) 我　　打电话　　可以　　吗　　给　　你

4. **Complete the following sentences with the pattern "很+ *adj.*":**

(1) 认识你我_____。

(2) 我的大学_____。

(3) 他的女朋友_____。

(4) 我的工作_____。

5. **(1)** **Read the telephone numbers quickly:**

5674932   2478321   9069543

24379067   21041796

(2) **Write down the telephone numbers that you hear:**

_____   _____   _____

_____   _____   _____

_____   _____

Unit
2

6. **Translate the following sentences into Chinese:**

(1) Glad to meet you!

(2) Come in, please!

(3) I study in the Eastern College in the U.K.

(4) His girlfriend is beautiful.

(5) Their university is big, and beautiful too.

 # III. Listening comprehension:

1. **Does he prefer telephone or email?**
2. **Did he hear the correct number?**
3. **Is Mr. Zhang in?**
4. **Is the man a teacher or a student?**
5. **How is his university?**
6. **Do all the students like their Chinese teacher?**
7. **Are the two persons in the same city now?**

 # IV. Oral practice:

1. **Ask and answer:**

   Exchange telephone numbers.

2. Introduce yourself: where you are studying, how your university is, and whether you like your university or not.

3. Guess what the hostess is saying:

V. Read the following business card (名片 Míngpiàn) and answer the questions:

北京大学中文系

江 力 教 授

地址：北京白马大街 134 号 405 室

电话：54647086(O)　51887976(H)

传真：54641890　电子邮件：jiangli@hotmail.com

Who is Prof. Jiang Li? Where does he work? Where does he live?

What's his telephone number and fax number?

VI. Write a short introduction about your university or college using the words provided:

我　　在……学习　　好　　大　　漂亮　　喜欢

Supplementary words:

华盛顿	(*n.*)	Huáshèngdùn	Washington
渥太华	(*n.*)	Wòtàihuá	Ottawa
悉尼	(*n.*)	Xīní	Sydney
伦敦	(*n.*)	Lúndūn	London
写	(*v.*)	xiě	write
信	(*n.*)	xìn	letter
名片	(*n.*)	míngpiàn	business card
北京	(*n.*)	Běijīng	Beijing
教授	(*n.*)	jiàoshòu	professor
地址	(*n.*)	dìzhǐ	address
街	(*n.*)	jiē	street
号	(*m.w.*)	hào	number
室	(*n.*)	shì	room
传真	(*n.*)	chuánzhēn	fax

Unit 3

Nǐ Jiā Yǒu Jǐ Kǒu Rén?
你家 有 几 口 人?
How Many People Are
There in Your Family?

 I. Read the following words and phrases:

shíyī	eleven	yìbǎi	one hundred
yìqiān	one thousand	yíwàn	ten thousand
yí gè rén	a person	yí suì	one year old
yì kǒu rén	a person (in a family)	yì jiā rén	the whole family
bàba	father	māma	mother
háizi	child(ren)	tàitai	wife
duōshao	how many; how much	dìfang	place
qù	to go	qiú	to beg, to entreat
shǎo	few, little (in quantity)	xiǎo	small, little (in size)

 II. Words and structures:

1. **Substitution drills:**

   (1) A: 你家有几口人?

   B: 我家有<u>四</u>口人。

三 七 十

   (2) A: 你们学校有多少学生?

   B: 我们学校大概有<u>三万</u>个学生。

五百 两千
两千五百

(3) A: 他多大?

   B: 他<u>两</u>岁。

(4) A: 你为什么想学习汉语?

   B: 因为<u>我有很多中国朋友</u>。

十八岁　二十一岁
三十五岁

我喜欢汉语
我爷爷、奶奶在中国
我们在中国有一个公司
我想去中国工作
老板让我去中国工作

2. **Fill in the blank with the words given:**

   个　口　岁

   (1) 你有几_____中国朋友?

   (2) 我家有三_____人。

   (3) 我二十_____。

   几　多少

   (4) 你们有_____个汉语老师?

   (5) 加拿大有_____人?

   两　二

   (6) 我们班有_____个汉语老师。

   (7) 我们大学有十_____个汉语老师。

3. **Arrange the given words in the correct order to form a sentence:**

   (1) 你家　　口　　人　　几　　有

   (2) 你　　个　　几　　中国　　朋友　　有

   (3) 你们　　学校　　学生　　多少　　有

   (4) 想　　我　　工作　　中国　　去

   (5) 老板　　让　　去　　中国　　我　　工作

4. (1) Read the following numbers:

           948 597   661 185   9 976 100   9 600 000

           650 087   1 068 583   1 540 681   1 300 000 000

   (2) Write down the numbers you hear:

    _____   _____   _____

    _____   _____   _____

    _____   _____

5. Translate the following sentences into Chinese:

   (1) He has two Chinese friends.

   (2) He has a lot of Chinese friends.

   (3) He has no Chinese friends.

   (4) There is no teacher of Chinese in their university.

   (5) There are many students of Chinese in our school.

   (6) Are there any students learning Chinese in your school?

III. Listening comprehension:

1. Is his wife here too?
2. Does he prefer sons or daughters?
3. What does he think of her?
4. How old do you think the man is?
5. What's the population of Shanghai?
6. Why does he want to learn Chinese?
7. Will he be sent to work in China by his company?

IV. Oral practice:

1. Ask and answer:

How many people are there in your school?

How many people are there in your family?

Why do you learn Chinese?

2. Introduce your family or your school:

 V. Read the following passage and answer the questions:

我们学校有两万多个学生，有一百多个人学习汉语。我们学校很大，也很漂亮。我非常喜欢我们学校。

我们的汉语老师是女的，姓王。王老师是上海人，她先生也是我们学校的老师，是中文系教授。他们有两个孩子。小孩子十一岁，上小学；大孩子十九岁，上大学，是我的同学。王老师和她先生的普通话都很好。但是，他们的孩子汉语很不好。

How many students are there in their university?

How many students are learning Chinese?

How many people are there in Prof. Wang's family?

How is their Chinese?

VI. Write a short passage to introduce your family or your school beginning with 我家有……or 我们学校有……

Supplementary words:

爷爷	(*n.*)	yéye	grandpa
奶奶	(*n.*)	nǎinai	grandma
多	(*adj.*)	duō	more than
非常	(*adv.*)	fēicháng	very; very much
教授	(*n.*)	jiàoshòu	professor

Unit 4

Wǒ Xiǎng Qù Zhōngguó

我 想 去 中国

I Want to Go to China

 I. Read the following words and phrases:

zhèr	here	nàr	there
nǎr	where	wánr	to play
cídiǎn	dictionary	cítiě	magnet
shuí/shéi	who	shuǐ	water
zhīdao	to know	zhǐdǎo	to guide, to direct
qǐngwèn	May I ask...?	qīnwěn	to kiss
yǒuyòng	useful	yóuyǒng	to swim
shàngkè	have classes	chànggē	sing songs

 II. Words and structures:

1. **Substitution drills:**

   (1) A: 我看一下，行吗?

   　　B: 行。

用　借

   (2) 这两张地图都是英文的。

中文
法文

   (3) 哪本词典是老师的?

本 书　　支 笔
个 本子

(4) 这本词典非常好__。

```
大    有用
   漂亮
```

2. **Fill in the blanks with the words given:**

问　用　玩儿　知道

(1) 我想去北京_____。

(2) 他在哪个教室上课，你_____吗?

(3) 请_____，这是您的词典吗?

(4) 我可不可以_____一下您的词典?

本　张　个　支　下

(5) 让我看一_____你的中国地图，可以吗?

(6) 这_____词典很有用。

(7) 那_____本子是谁的?

(8) 我有两_____加拿大地图。

(9) 这_____书很有意思。

(10) 请给我一_____笔，好吗?

3. **Complete the following sentences:**

那个地方_____，_____。（大　漂亮）

他英语_____，法语_____。（好）

他们学校老师_____，学生_____。（少　多）

4. **Translate the following sentences into Chinese:**

(1) I like this one. I don't like that one.

(2) This map of China is very useful.

(3) This dictionary is very good.

(4) Could I use your dictionary?

(5) Whose are these two dictionaries?

III. Listening comprehension:

1. **What does he have?**
2. **Whose dictionary is it?**
3. **Why does the man want to look at the map of China?**
4. **What does the woman think of the book?**
5. **Does the woman lend her dictionary to the man?**
6. **What kind of a map did the man want to look at?**
7. **Why does the boy think that Chinese is useful?**

IV. Oral practice:

1. **Ask and answer:**

   Do you have a map of China? Is the map in English or in Chinese?

   Do you have a dictionary? What dictionary is it? Is it useful?

2. **Try to borrow a map or a dictionary from your classmate.**

V. Read the following passage and answer the questions:

中国在东半球，加拿大在西半球。加拿大很大，中国也很大。中国人口很多，加拿大人口不多。中国人说汉语，加拿大人说英语或者法语。中国人学习英语，加拿大人学习汉语。中国人说英语很好学，加拿大人说汉语不好学。

What's the difference between Canada and China?

VI. Write a short comment about a map or a dictionary beginning with 我有……

Words for reference:

这　好　大　有用

Supplementary words:

东半球	(*n.*)	dōngbànqiú	the Eastern Hemisphere
西半球	(*n.*)	xībànqiú	the Western Hemisphere
或者	(*conj.*)	huòzhě	or
人口	(*n.*)	rénkǒu	population
好学		hǎo xué	easy to learn
借	(*v.*)	jiè	borrow, lend

Unit 5

Néng Bu Néng Piányi Diǎnr?

能 不 能 便宜 点儿?

Can You Make It Cheaper?

I. Read the following phrases and sentences:

买	mǎi	to buy	卖	mài	to sell
千	qiān	thousand	钱	qián	money
吃	chī	to eat	迟	chí	late
最	zuì	the most	嘴	zuǐ	mouth
菜	cài	dish	猜	cāi	to guess
要	yào	to want	腰	yāo	waist
会	huì	can	灰	huī	ash

回　huí　be back

睡觉　shuìjiào　sleep　　　　水饺　shuǐjiǎo　dumpling

房间　fángjiān　room　　　　饭店　fàndiàn　restautrant

这件白衬衫多少钱?　Zhè jiàn bái chènshān duōshao qián?

这条也太大。　Zhè tiáo yě tài dà.

你要酸辣汤?　Nǐ yào suānlàtāng?

对，我要酸辣汤。　Duì, wǒ yào suānlàtāng.

Unit 5

II. Words and structures:

1. **Substitution drills:**

   (1) A: 你会说汉语吗?

   　　B: 我会说一点儿汉语。

   说……法语　　写……汉字

(2) A: <u>这件白衬衫</u>多少钱？
    B: 一百五十块。

那条裤子
这件衣服
那本书

(3) A: 能不能<u>试一试</u>？
    B: 当然可以。

看一看　问一问
用一用　休息休息

(4) 那是他们饭店最<u>好吃</u>的菜。

贵
便宜

(5) 这个菜<u>很</u>辣。

不　　　不太
比较　　非常

2. Fill in the blanks with the given words:

　　和　也　还

(1) 我要买衬衫_____裤子。

(2) 我想买一件衬衫，他_____想买一件衬衫。

(3) 我想买一件衬衫，_____想买一条裤子。

3. Fill in the blanks with different adjectives:

(1) 这个饭店的菜非常_____。

(2) 这条裤子很_____。

(3) 两百块？太_____了！

(4) 这是一本非常_____的书。

(5) 我不喜欢这件白衬衫，我喜欢那件_____衬衫。

(6) 我喜欢吃_____的，不喜欢吃_____的。

4. Translate the following sentences into Chinese:

(1) I can speak a little Chinese.

(2) Can I have a try?

(3) What do you want, sir?

(4) This dish tastes good.

(5) I like to go shopping in small shops.

(6) There is a very big shop there.

 ## III. Listening comprehension:

1. **Can he speak Chinese very well?**
2. **How much is the shirt?**
3. **Which one does he want?**
4. **Where are they?**
5. **Why are the dishes so expensive in this restaurant?**
6. **Which places do they prefer to go shopping? Why?**
7. **Are they satisfied with the dishes?**

Unit
5

IV. Oral practice:

1. **Buy a coat in a shop. Ask the price, and choose the right color and size. The shop assistant may make some suggestions.**

2. Read the menu (菜单 càidān) and order the dishes (点菜 diǎn cài). The waitress may make some suggestions.

鱼香肉丝	yúxiāngròusī	sautéed shredded pork in hot sauce
麻辣豆腐	málàdòufu	bean curd in chili and wild pepper sauce
烤	kǎo	roast
鸭	yā	duck
青椒	qīngjiāo	green pepper
炒	chǎo	fried
青菜	qīngcài	green vegetables
番茄	fānqié	tomato
鸡蛋	jīdàn	egg
馄饨	húntun	wonton, kind of dumpling
小笼包	xiǎolóngbāo	small steamed bun
面	miàn	noodles

V. Read the following passage and answer the questions:

有很多不同的中国菜。广东菜和四川菜不一样，上海菜和山东菜不一样，中国的中国菜和美国的中国菜也不太一样。不同的地方有不同的菜，不同的人喜欢不同的味道。有的人喜欢吃甜的，有的人喜欢吃咸的，有的人喜欢吃酸的，有的人喜欢吃辣的。在中国，有很多人喜欢吃辣的。有人说：四川人不怕辣，湖南人辣不怕，江西人怕不辣。你想想：谁最喜欢吃辣的？

Are there different dishes of flavor in different parts of China?

People from which places like hot dishes very much?

VI. Write a short passage beginning with 在这儿，有很多中国饭店。……

Words for reference:

菜　菜的名字　知道　会　菜单　因为　认识　好吃　喜欢　酸　辣　甜

Unit
5

Supplementary words:

写	(v.)	xiě	write
休息	(v.)	xiūxi	have a rest
不同	(adj.)	bùtóng	different
一样	(adj.)	yíyàng	same
味道	(n.)	wèidào	taste
广东	(n.)	Guǎngdōng	Guangdong
四川	(n.)	Sìchuān	Sichuan
上海	(n.)	Shànghǎi	Shanghai
山东	(n.)	Shāndōng	Shandong
有的	(pron.)	yǒude	some
甜	(adj.)	tián	sweet
咸	(adj.)	xián	salty
怕	(v.)	pà	be afraid of
湖南	(n.)	Húnán	Hunan
江西	(n.)	Jiāngxī	Jiangxi
菜单	(n.)	càidān	menu

Unit 6

Míngtiān Dǎsuàn Gàn Shénme?

明天 打算 干 什么?

What Are You Going to Do Tomorrow?

 I. Read the following phrases and sentences:

上午	shàngwǔ	morning	下午	xiàwǔ	afternoon
休息	xiūxi	to rest	学习	xuéxí	to study
打算	dǎsuàn	to plan	大蒜	dàsuàn	garlic
接	jiē	to meet	见	jiàn	to see
一半	yíbàn	half	一般	yìbān	general

我想去打球。 Wǒ xiǎng qù dǎqiú.

我要去看一个朋友。 Wǒ yào qù kàn yí gè péngyou.

明天晚上我有一个约会。 Míngtiān wǎnshang wǒ yǒu yí gè yuēhuì.

 II. Words and structures:

1. **Substitution drills:**

   (1) A: 今天星期几?

      B: 今天<u>星期一</u>。

星期二	星期三	星期四
星期五	星期六	星期天

   (2) A: 现在几点?

      B: 现在<u>八点</u>。

九点三刻	十点半
十一点二十分	

(3) A: 明天晚上你打算干什么？
    B: 我明天晚上<u>有一个约会</u>。

要去看一个朋友
要做功课
要去打工
在家里休息

(4) A: 我想请你一起去<u>喝咖啡</u>。
    B: 好的，谢谢！

喝茶　打球
看电影

(5) A: 明天下午两点半我在<u>咖啡馆</u>等你。
    B: 好，明天见！

学校　家里
公园门口

2. **Arrange the given words in the correct order to form a sentence:**
    (1) 有空儿　　你　　下午　　吗
    (2) 我　去　看　你　晚上　明天
    (3) 休息　我　明天　家里　在
    (4) 我们　见面　晚上九点　咖啡馆　在
    (5) 我　他　去　打球　想　请

3. **Fill in the blanks with the words given:**
    打　喝　做　看　休息
    (1) 你喜欢_____什么球？
    (2) 今天星期天，他在家里_____。
    (3) 我不喜欢_____电视。
    (4) 今天晚上我要_____很多功课。
    (5) 要不要_____咖啡？

4. What time is it now?

5. Translate the following sentences into Chinese:

(1) What are you going to do tomorrow morning?

(2) I'm very busy today.

(3) I will be waiting for you at home at 2:30 tomorrow afternoon.

(4) He invited me to have dinner with him this evening.

 III. Listening comprehension:

1. **What time is it now?**
2. **What will he do this evening?**
3. **What does the man mean?**
4. **What will she do tomorrow?**
5. **What will he do tomorrow?**
6. **Does the girl accept the boy's invitation?**
7. **Where and when will they meet?**

Unit
6

 IV. Oral practice:

1. **Ask and answer:**

What day of the week is today?

What time is it now?

What will you do tomorrow?

2. Look at the pictures and answer the questions:

When does he get up (qǐchuáng, 起床 get up)?

When does he have breakfast? (chī zǎofàn, 吃早饭 have breakfast)

When does he go to school? (qù shàngxué, 去上学 go to school)

When does he have supper? (chī wǎnfàn, 吃晚饭 have supper)

When does he go to bed? (shuìjiào, 睡觉 go to bed)

(1)

(2)

(3)

(4)

(5)

3. **A calls B to invite him to go drink coffee/go to the movies:**

(1) B accepts the invitation but wants to change the time.

(2) B tries to find an excuse and refuse the invitation.

 V. Read the following passage and answer the questions:

我平时很忙。白天要上课,晚上还要做功课。我的中国朋友请我去玩儿,可是,我哪有空儿? 谢天谢地,明天星期六,没有课了。可是,我明天上午、下午都要去打工。我爸爸、妈妈让我在家里休息休息,可是,我要去打工。因为我不喜欢用爸爸、妈妈的钱。后天是星期天,我上午要去机场接一位朋友,下午去打球,晚上有一个约会。你看,星期六、星期天,我也很忙。

What does he do during the weekdays?

What will he do tomorrow?

What will he do the day after tomorrow?

 VI. Write down your plans for tomorrow:

Supplementary words:

电影	(n.)	diànyǐng	movie
咖啡馆	(n.)	kāfēiguǎn	coffee shop
公园	(n.)	gōngyuán	park
门口	(n.)	ménkǒu	entrance, doorway
平时	(n.)	píngshí	ordinary, usual
可是	(conj.)	kěshì	but
谢天谢地		xiètiān-xièdì	thank heaven
后天	(n.)	hòutiān	the day after tomorrow
机场	(n.)	jīchǎng	airport

Unit 7

Nǐ Shénme Shíhou Huílái?

你 什么 时候 回来？

When Will You Come Back?

I. Read the following phrases and sentences:

长	cháng	long	强	qiáng	strong
找	zhǎo	look for	叫	jiào	call
旅行	lǚxíng	travel	流行	liúxíng	popular, fashionable
眼镜	yǎnjìng	glasses, spectacles	眼睛	yǎnjing	eye
进去	jìnqu	go in	进出	jìnchū	go in and out

你找谁？　　　　　　Nǐ zhǎo shéi?

他刚出去。　　　　　Tā gāng chūqù.

我想去中国旅行。　　Wǒ xiǎng qù Zhōngguó lǚxíng.

我七月一号以前回来。Wǒ qī yuè yī hào yǐqián huílái.

II. Words and structures:

1. Substitution drills:

    (1) A: 今天几号？

         B: 今天<u>十月一号</u>。

> 一月二号　四月五号
> 十二月二十五号

    (2) A: 你打算什么时候回来？

         B: 我打算<u>七月一号</u>以前回来。

> 三点钟　吃饭
> 明年四月

(3) A: <u>放假以后</u>你去哪儿?

     B: 我回家。

四点钟　下课 一个星期

(4) 他<u>高高的，瘦瘦的</u>。

胖胖的，白白的 矮矮的，瘦瘦的 高高大大的

(5) 他有点儿担心。

忙　累 不高兴

2. **Fill in the blanks with the words given:**

    穿　戴

(1) 他喜欢_____红衬衫。

(2) 她每天都_____牛仔裤。

(3) 他_____眼镜吗?

    还是　或者

(4) 你这个月去_____下个月去?

(5) 我打算今天下午去，_____明天上午去。

    回　回来　回去

(6) 我家在北京，放假以后我要_____北京。

(7) 我家在北京，放假以后我打算_____看看我的家人。

(8) 他上个月去北京了，昨天刚_____。

    一点儿　有点儿

(9) 我会说_____汉语。

(10) 我想喝_____水。

(11) 他今天_____不高兴。

(12) 那儿的东西_____贵。

不　别

(13) 我没有空儿，_____能去旅行。

(14) 那个商店的东西太贵，你_____去那儿买。

3. Fill in the blanks with the reduplicated forms of the given adjectives (followed by 的):

(1) 她_____（高），头发_____（长）。

(2) 这个汤_____（酸），_____（辣），真好喝。

4. Look at the pictures and guess what the man is saying:

(1)   (2)

你_____！

你_____！

(3)

你_____！

Unit
7

5. Translate the following sentences into Chinese:

(1) I will come again in a short while.

(2) He has just gone out.

(3) I will come back before the 4th of the next month.

(4) All of the teachers there are females.

 III. Listening comprehension:

1. **What did the man say?**
2. **Is the man the one the woman wants to see?**
3. **When will he go traveling?**
4. **Where are the two people talking?**
5. **Why couldn't the man read the character?**
6. **Do the students have holidays during Christmas?**
7. **What does the man worry about?**

 IV. Oral practice:

1. **Read Wang Ying's schedule and talk about it to your classmates in Chinese:**

May 26	trip to Beijing, Shanghai and Xi'an
June 26	back

2. **Look at the picture and describe the girl:**

V. Read the following passage and answer the questions:

王老师：

　　您好！我来找您，可是您不在。

　　放假以后我打算去北京旅行，但是我没有北京地图。我不知道在什么地方可以买北京地图。您有北京地图吗？如果您有，我可以不可以用一下？

　　还有，您在北京有没有朋友？我去北京以后，他们能不能帮助我？

　　晚上我给您打电话。谢谢！

江山

3 月 21 日

Who wrote this? To whom was it written? When was it written?

Why does Jiang Shan want to see Prof. Wang?

 VI. Suppose you will go traveling in China. Please email your friend in China to tell him when you will arrive and your flight number, and ask your friend to meet you at the airport.

1. **Words for your reference:**

航班	hángbān	flight		到	dào	to arrive
飞机	fēijī	plane		机场	jīchǎng	airport
接	jiē	to meet; pick up				

Unit
7

2. Your email should begin with the following sentence:

张明：

你好！我打算……

Supplementary words:

胖	(*adj.*)	pàng	fat
矮	(*adj.*)	ǎi	short (in height)
累	(*adj.*)	lèi	tired
但是	(*conj.*)	dànshì	but
如果	(*conj.*)	rúguǒ	if

Unit 8

Fùjìn Yǒu Méiyǒu Yínháng?

附近 有 没有 银行?

Is There a Bank Nearby?

I. Read the following phrases and sentences:

前面	qiánmiàn	in front of	见面	jiànmiàn	meet (each other)
从	cóng	from	同	tóng	together with
骑车	qí chē	ride a bicycle	汽车	qìchē	automobile, car
怎么	zěnme	how	什么	shénme	what
客气	kèqi	polite	科技	kējì	science and technology
车站	chēzhàn	stop, station	出站	chū zhàn	exit the station
地铁	dìtiě	subway, metro	电梯	diàntī	elevator

向左拐，过马路。　　　　Xiàng zuǒ guǎi, guò mǎlù.

邮局就在那个银行的旁边。　Yóujú jiù zài nà ge yínháng de pángbiān.

能不能坐公共汽车去？　　　Néng bu néng zuò gōnggòng qìchē qù?

II. Words and structures:

1. **Substitution drills:**

    (1) <u>附近</u>有没有银行？

前面
你家附近
学校旁边

    (2) 邮局就在<u>那个银行的旁边</u>。

汽车站的前面
我们学校的后面
他们公司的右面
那个商店的左面

Unit 8

(3) 地铁站离<u>汽车站</u>远不远?

| 这儿　你家 |
| 你们公司 |

(4) 能不能骑<u>自行车</u>去?

| 坐飞机 |
| 坐火车 |
| 坐公共汽车 |
| 坐地铁 |

2. **Fill in the blanks with the words given:**

怎么　怎么样　什么

(1) 请问，去邮局_____走?

(2) "Desk" 汉语_____说?

(3) 那个饭店_____?

(4) 那是_____词典?

(5) 你明天打算干_____?

(6) 你的工作_____?

(7) 这个字_____写?

离　从

(8) 这儿_____市中心远不远?

(9) _____这儿到市中心远不远?

(10) _____银行到邮局很近。

(11) 银行_____邮局很近。

在　有

(12) 请问，附近_____邮局吗?

(13) 银行旁边_____一个邮局。

(14) 邮局_____我家左面。

(15) 汽车站就_____地铁站旁边。

(16) 大学门口就_____一个饭店。

3. Write 在 sentences that match the pictures:

e.g. 词典在桌子上。

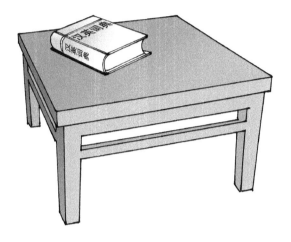

(1)

马丁

江山

Unit
8

(2)

(3)

4. Write 有 sentences that match the pictures:

e.g. 桌子上有一本词典。

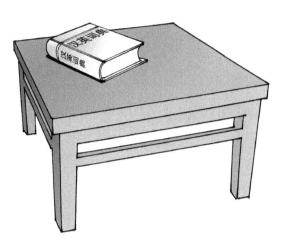

5. Translate the following sentences into Chinese:

(1) Is there a post office nearby?

(2) There is a bookstore in front of my home.

(3) The subway station is not far away from the bus stop.

(4) Go ahead, turn left, cross a road, and there is a bank.

(5) I will go there by bike.

 ## III. Listening comprehension:

1. **Is it far from his home to his school?**
2. **By what means will he go?**
3. **Where does he want to go?**
4. **What are they discussing?**
5. **Is there a subway station at the gate of the school?**
6. **Circle the place where the Bank of China is.**

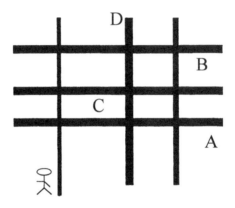

7. **Mark the route to the railway station.**

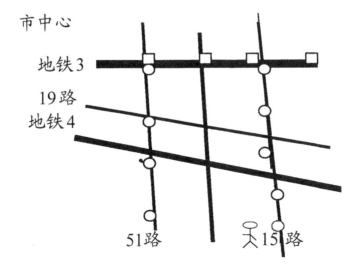

IV. Oral practice:

Describe the route to the university for Jack.

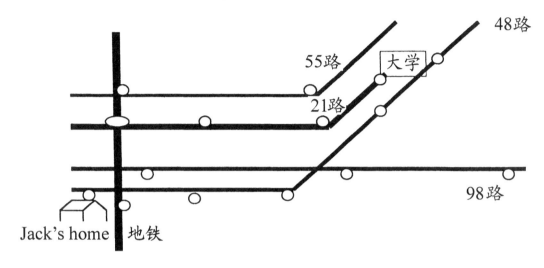

55路

大学

48路

21路

98路

Jack's home 地铁

Words for reference:

先　坐　地铁　然后　换　公共汽车　到　终点站 zhōngdiǎnzhàn terminus, terminal　或者　坐　下车　以后　走一点儿

 ## V. Read the following passage and answer the questions:

　　我家在市中心。我家前面有商店、书店、水果店、食品店、饭店，我家左面有一个银行，我家右面有一个邮局。我爸爸在左面的银行工作，我妈妈在右面的邮局工作。我常常去前面的商店买东西。我的学校就在我家后面。从我家到学校很近。不用坐公共汽车，也不用开车，只要走过去就行。

Where is his house?

What's on the left of his house?

What's on the right of his house?

What's behind his house?

What's in front of his house?

Where is his school?

How does he get there?

 VI. Write down what you said in the oral practice of exercise IV:

Supplementary words:

飞机	(*n.*)	fēijī	plane
火车	(*n.*)	huǒchē	train
桌子	(*n.*)	zhuōzi	desk
水果	(*n.*)	shuǐguǒ	fruit
食品	(*n.*)	shípǐn	food
不用	(*op. v.*)	búyòng	needn't
开车		kāi chē	drive a car
常常	(*adv.*)	chángcháng	often

练习参考答案
Key to Exercises

Unit 0

0.2

I 1 (1) A　(2) A　(3) B　(4) B

(5) A　(6) B　(7) A　(8) B

(9) A　(10) A　(11) A　(12) B

2 (1) b　(2) p　(3) p　(4) b　(5) d

(6) t　(7) t　(8) d　(9) n　(10) l

(11) l　(12) n　(13) m　(14) n　(15) f

3 (1) ō　(2) ē　(3) ǐ　(4) ǔ　(5) ì

(6) ù　(7) ó　(8) ú　(9) à　(10) è

4 (1) tā　(2) tá　(3) tǎ　(4) tà　(5) dà

(6) dǎ　(7) dá　(8) dā　(9) yī　(10) yí

(11) bǐ　(12) bì　(13) wū　(14) wú

(15) dǐ　(16) dì　(17) yǔ　(18) yú

(19) mā　(20) mǎ　(21) nǎ　(22) nà

5 (1) yǔ　(2) wù　(3) yī　(4) bù　(5) tǔ

(6) ná　(7) tā　(8) pà　(9) tǐ

0.3

I 1 (1) A　(2) B　(3) A　(4) A

(5) B　(6) B　(7) A　(8) B

(9) B　(10) A　(11) B　(12) A

2 (1) g　(2) k　(3) g　(4) k

(5) h　(6) f　(7) h　(8) f

3 (1) ǎi　(2) ěi　(3) ǎo　(4) ǒu

(5) àn　(6) èn　(7) áng　(8) éng

(9) óng　(10) ǎ　(11) āi　(12) ào

(13) àn　(14) àng　(15) ē　(16) ēi

(17) ěn　(18) éng

4 (1) gāo　(2) gáo　(3) gǎo　(4) gào

(5) kāfēi　(6) bāngmáng　(7) gāokǎo

(8) kānwù　(9) láodòng　(10) téngtòng

(11) nénggòu　(12) fènnù　(13) dàodé

(14) pàodàn　(15) dàfēng　(16) tānlán

(17) bōtāo　(18) hánlěng

5 (1) hóng　(2) kěn　(3) gàn　(4) gāi

(5) gǒu　(6) nèibù　(7) mánglù

(8) bāohán　(9) gēnběn

6 (1) gēge　(2) kěyǐ　(3) bōli

(4) dāngàn　(5) yīkào　(6) yīfu

(7) hóulong

0.4

I 1 (1) A　(2) B　(3) B　(4) B

(5) A　(6) A　(7) B　(8) B

(9) A　(10) B　(11) A　(12) B

(13) A　(14) A

2 (1) q　(2) j　(3) q　(4) j

(5) x　(6) q　(7) j　(8) j　t

(9) x　x　(10) j　q

3 (1) ié　(2) iāo　(3) iū　(4) ián

(5) ín　(6) ià　(7) iǎng　(8) ǐng

(9) iǎng　(10) ián　iē　(11) iāo　ì

(12) iōng　ì　(13) iǎng　iu　(14) ué　iè

(15) uē　iàn　(16) īn　ùè

4　(1) jǐqì　(2) jiūjìng　(3) jiānbìng

(4) pínqióng　(5) míngliàng

(6) língdāng　(7) qiánmiàn

(8) miànbāo　(9) qìfèn　(10) xiàwǔ

5　(1) jǐ　(2) jù　(3) jiǔ　(4) qì

(5) qū　(6) qiú　(7) xǐ　(8) qǐ

(9) xiū　(10) qiě　(11) jūn　(12) xuǎn

(13) jiǒng　(14) qíjì　(15) yǎnqián

(16) xiāngyān　(17) yánjiū

(18) jiànmiàn

0.5

I 1　(1) A　(2) A　(3) B　(4) A

(5) B　(6) A　(7) A　(8) B

(9) B　(10) A　(11) B　(12) B

(13) B　(14) A　(15) A　(16) A

(17) B

2　(1) z　(2) j　(3) c　(4) q　(5) s　(6) x

(7) z　x　(8) z　s　(9) c　q　(10) j　q

(11) m　c　(12) m　q

3　(1) ǎ　(2) uā　(3) uài　(4) uān

(5) uāng　(6) ēi　(7) uì　(8) ěn

(9) ūn　(10) uǎn　(11) uǎng

(12) ōu　(13) uó　(14) óu　(15) uó

(16) ōng　uò　(17) uī　ù　(18) ǐ　ūn

(19) ān　uān　(20) óu　uī

(21) uāng　iáng

4　(1) kuājiǎng　(2) kuānguǎng

(3) tuōlā　(4) zuòyè　(5) jìsuàn

(6) kuàisù　(7) nuǎnhuo　(8) cuǐcàn

(9) wěidà　(10) guójiā　(11) huídá

(12) wándàn

5　(1) wēnhé　(2) wākǔ　(3) wēifēng

(4) cāngkù　(5) cídiǎn　(6) sēnlín

(7) yuánzé　(8) kuānkuò　(9) jiéhūn

0.6

I 1　(1) B　(2) A　(3) A　(4) B

(5) A　(6) B　(7) A　(8) B

(9) B　(10) B　(11) C　(12) A

(13) C　(14) B　(15) A　(16) B

(17) C

2　(1) zh　(2) j　(3) z　(4) c

(5) q　(6) ch　(7) x　(8) s

(9) sh　(10) x　sh　(11) c　zh

(12) r　sh　(13) ch　sh

3　(1) shīcí　(2) tūrán　(3) cāicè

(4) zāoyù　(5) cóngróng

(6) rénmíng　(7) rúguǒ　(8) shúxī

(9) rè'ài　(10) suànshù　(11) chìzé

(12) shìshí　(13) zhǔnbèi　(14) shuǐwēn

(15) chǔlǐ　(16) shěnchá

4　(1) zhīdào　(2) chīfàn　(3) shísì

(4) rìjì　(5) érqiě　(6) shōusuō

(7) zhōngchéng　(8) shuāiluò

(9) huār　(10) wánr

0.7

I 1　(1) A　(2) C　(3) C　(4) D

(5) B　(6) B　(7) D　(8) A

(9) D　(10) A　(11) A　(12) A

(13) A　(14) B　(15) C

2 (1) b　(2) p　(3) d　(4) t　(5) f

(6) h　(7) m　(8) l　(9) n　(10) r

(11) g　(12) k　(13) j　(14) z　(15) zh

(16) q　(17) c　(18) ch　(19) x　(20) sh

3 (1) à　(2) āi　(3) ǎo　(4) àn　(5) áng

(6) ē　(7) ěi　(8) ēn　(9) èng

(10) óu　(11) uō　(12) òng　(13) ī

(14) iā　(15) iàn　(16) iǎng　(17) ié

(18) iǔ　(19) ìn　(20) īng　(21) iǒng

(22) ù　(23) ué　(24) uān　(25) ūn

(26) ǔ　(27) uā　(28) uàn　(29) uáng

(30) uài　(31) ùn　(32) uì

4 (1) chūntiān　(2) ānquán　(3) gāokǎo

(4) chēngzàn　(5) shúxī　(6) shíxí

(7) tuántǐ　(8) huángdì　(9) chǎnshēng

(10) zǒngcái　(11) yǒngyuǎn

(12) kěndìng　(13) rìguāng

(14) wèntí　(15) duìwu　(16) jìsuàn

(17) piàoliang　(18) zhuōzi

5 (1) cāntīng　(2) chōngfèn

(3) yuēhuì　(4) juānxiàn

(5) yōuxiù　(6) hūrán　(7) zhīshi

(8) zìjǐ　(9) cìjī　(10) qíjì　(11) jìshù

(12) tuánjié　(13) yúchǔn

(14) fǎngwèn　(15) niúnǎi

6 (1) Guāng dǎ léi, bú xià yǔ.

(2) Tā chī táng, wǒ hē tāng.

(3) Nǐ xuéxí, wǒ xiūxi.

(4) Qǐng zhùyì ānquán.

(5) Guòle qiáo, cháo qián zǒu.

(6) Wàimiàn hēigulōngdōng de, wǒ hàipà.

Unit 1

II 2 (1)是　(2)姓　(3)叫　(4)说

(5)也　都　(6)也　都　(7)吗　呢

II 3 (1) 他不是汉语老师。

(2) 他不说英语。

(3) 他们都不是加拿大人。

II 4 (1) 我是美国人。

(2) 她也是美国人。

(3) 他不是美国人。

(4) 你叫什么名字？

II 5 (1) 他是你同学吗？/他是不是你同学？

(2) 他说汉语吗？/他说不说汉语？

(3) 他是张老师吗？/他是不是张老师？

II 6 (1) 我只说汉语。

(2) 你叫什么名字？

(3) 你是中国人吗？/你是不是中国人？

(4) 你说英语还是法语？

(5) 我不姓王，我姓张。

Unit 2

II 2 (1)打　(2)发　(3)认识　(4)工作　(5)喝

II 3 (1) 我在进出口公司工作。

(2) 他是我们的老师。

(3) 我是东方学院的学生。

(4) 我可以给你打电话吗？/我可以打电话给你吗？

II 5 (2) 610610　2346789　9880433

3421679　5437891　5609718

86-21- 65483324　86-10-79865342

II 6 (1) 很高兴认识你！/认识你(我)很高兴！

(2) 请进！

(3) 我在英国东方学院学习。

(4) 他(的)女朋友很漂亮。

(5) 他们(的)大学很大，也很漂亮。

IV 3 请进！　请坐！　请喝茶！

Unit 3

II 2 (1)个　(2)口/个　(3)岁　(4)几

(5)多少　(6)两　(7)二

II 3 (1) 你家有几口人？

(2) 你有几个中国朋友？

(3) 你们学校有多少学生？

(4) 我想去中国工作。

(5) 老板让我去中国工作。

II 4 (2) 100　1000　1200

10000　12000　100000

1000000　13000000

II 5 (1) 他有两个中国朋友。

(2) 他有很多中国朋友。/他中国朋友很多。

(3) 他没有中国朋友。

(4) 他们学校没有汉语老师。

(5) 我们学校有很多汉语学生。

(6) 你们学校有没有学生学习汉语？/你们学校有学生学习汉语吗？

Unit 4

II 2 (1)玩儿　(2)知道　(3)问　(4)用　(5)下

(6)本　(7)个　(8)张　(9)本　(10)支

II 3 (参考答案)

(1) 那个地方很大，也很漂亮 。/不大，也不漂亮。

(2) 他英语好，法语不好。

(3) 他们学校老师比较少，学生非常多。

II 4 (1) 我喜欢这个，不喜欢那个。

(2) 这张中国地图很有用。

(3) 这本词典很好。

(4) 我能不能用一下你的词典？

(5) 这两本词典是谁的？

Unit 5

II 2 (1)和　(2)也　(3)还

II 3 (1)好吃　(2)大　(3)贵　(4)有意思

(5)红　(6)辣　酸

II 4 (1) 我会说一点儿汉语。

(2) 我能不能试一试？/我可不可以试一试？

(3) 先生，您要什么？

(4) 这个菜很好吃。

(5) 我喜欢在小商店买东西。/我喜欢去小商店买东西。

(6) 那儿/那里有一个非常大的商店。

Unit 6

II 2 (1) 你下午有空儿吗？/下午你有空儿吗？

(2) 我明天晚上去看你。/明天晚上我去看你。

(3) 我明天在家里休息。/明天我在家里休息。

(4) 我们晚上九点在咖啡馆见面。/晚上九点我们在咖啡馆见面。

(5) 我想请他去打球。

II 3 (1)打　(2)休息　(3)看　(4)做　(5)喝

Ⅱ5 (1) 你明天上午(打算)干/做什么？

(2) 我今天很忙。

(3) 我明天下午两点半在家里等你。

(4) 他请我今天晚上跟他一起吃饭。/今
天晚上他请我跟他一起吃饭。

Unit 7

Ⅱ2 (1)穿 (2)穿 (3)戴 (4)还是 (5)或者
(6)回 (7)回去 (8)回来 (9)一点儿
(10)一点儿 (11)有点儿 (12)有点儿
(13)不 (14)别

Ⅱ3 (1)高高的 长长的 (2)酸酸的 辣辣的

Ⅱ4 (1)进来 (2)上来 (3)过来

Ⅱ5 (1) 我过一会儿再来。

(2) 他刚出去。

(3) 我下个月四号以前回来。

(4) 那儿的老师都是女的。

Unit 8

Ⅱ2 (1)怎么 (2)怎么 (3)怎么样 (4)什么
(5)什么 (6)怎么样 (7)怎么 (8)离
(9)从 (10)从 (11)离 (12)有
(13)有 (14)在 (15)在 (16)有

Ⅱ3 (1)马丁在上面，江山在下面。

(2)江山在前面，马丁在后面。

(3)学生在教室里面，老师在教室外面。

Ⅱ4 王英家左面有一个银行，后面有一个学
校，右面有一个商店，前面有一个邮局。

Ⅱ5 (1) 附近有邮局吗？

(2) 我家前面有一个书店。

(3) 地铁站离汽车站不远。

(4) 往前走，往左拐，过一条马路，有一
个银行。

(5) 我骑自行车去。

责任编辑：陆　瑜
英文编辑：吴爱俊　范逊敏
封面设计：Daniel Gutierrez
插　　图：笑　龙

图书在版编目（CIP）数据

《当代中文》练习册 . 1 / 吴中伟主编 . —修订版 . —北京：华语教学出版社，2014
ISBN 978-7-5138-0618-3

Ⅰ.①当… Ⅱ.①吴… Ⅲ.①汉语－对外汉语教学－习题集 Ⅳ.① H195.4

中国版本图书馆 CIP 数据核字 (2013) 第 297881 号

《当代中文》修订版
练习册
1
主编　吴中伟
*

© 孔子学院总部 / 国家汉办
华语教学出版社有限责任公司出版
（中国北京百万庄大街 24 号　邮政编码 100037）
电话 : (86)10-68320585, 68997826
传真 : (86)10-68997826, 68326333
网址 : www.sinolingua.com.cn
电子信箱 : hyjx@sinolingua.com.cn
新浪微博地址 : http://weibo.com/sinolinguavip
北京京华虎彩印刷有限公司印刷
2003 年（16 开）第 1 版
2014 年（16 开）修订版
2014 年修订版第 2 次印刷
（汉英）
ISBN 978-7-5138-0618-3
定价：20.80 元